الْحِيتَانُ وَالدَّلَافِينُ

Text copyright © 2000 by Peter and Connie Roop.
Illustrations copyright © 2000 by Carol Schwartz.
First printing, May 2000

ISBN 978-0-439-86383-4

First Arabic Edition, 2006. Printed in China.

1 2 3 4 5 6 7 8 9 10 62 11 10 09 08 07

الْحيتانُ وَالدَّلافينُ

تَأليفُ: بيتِر وَكوني رووب • رُسومُ: كارول شوارْتز

تَسْبَحُ الْحِيتانُ وَالدَّلافينُ
كَما نَسْبَحُ، أَنْتَ وَأَنا.

تَقْفِزُ الْحيتانُ وَالدَّلافينُ عاليًا فَوْقَ سَطْحِ الْماءِ.

تَأْكُلُ الْحيتانُ وَالدَّلافينُ كُلَّ يَوْمٍ، كَما نَفْعَلُ نَحْنُ.

تَنامُ الْحيتانُ وَالدَّلافينُ تَحْتَ الْماءِ،
بِطَريقَتِها الخاصَّةِ.

تُغَنّي الْحيتانُ وَالدَّلافينُ،
بَيْنَ وَقْتٍ وَآخَرَ، كَما نَفْعَلُ نَحْنُ.

تَلْعَبُ الْحيتانُ وَالدَّلافينُ،
ثُمَّ تَقْفِزُ فَوْقَ الْماءِ، وَتَسْبَحُ مَرَّةً أُخْرى.

تَغْطِسُ الْحيتانُ وَالدَّلافينُ،
كَما نَفْعَلُ نَحْنُ.

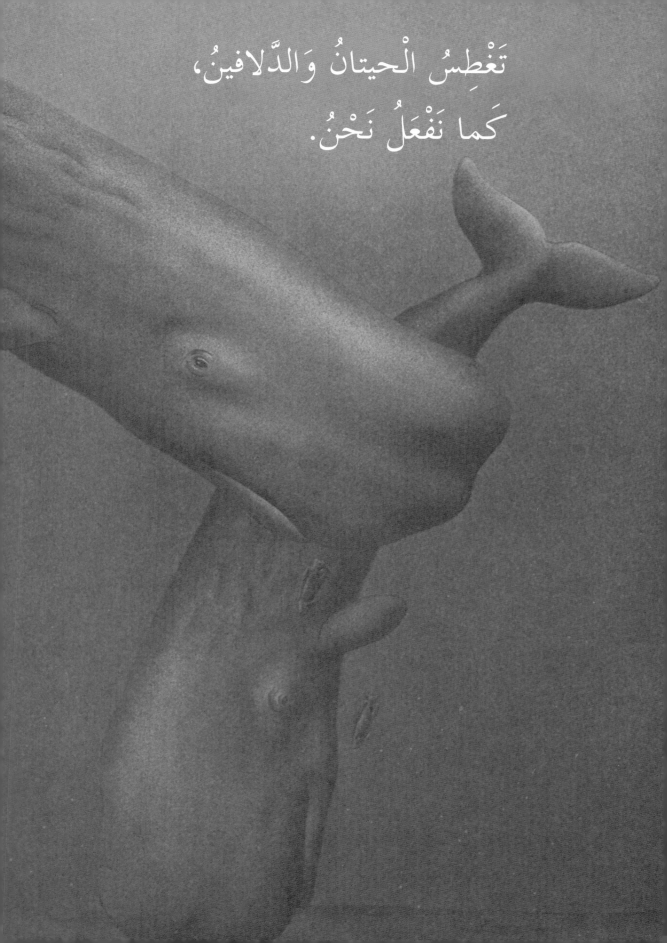

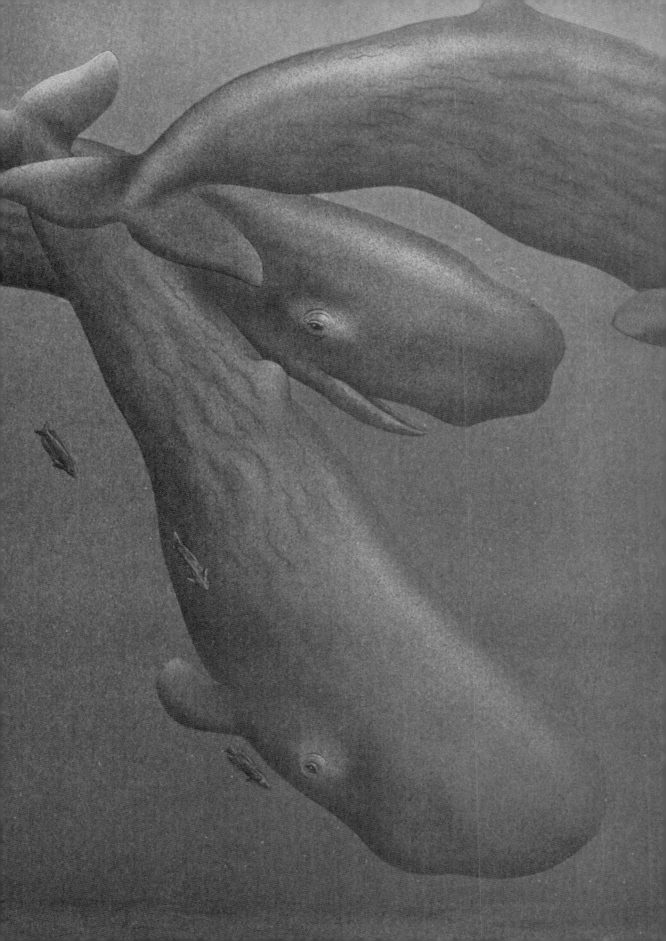

وَتَتَنَفَّسُ الْهَواءَ لِكَيْ تَعيشَ، كَما نَفْعَلُ نَحْنُ.

هِيَ تَسْبَحُ...
تَقْفِزُ...
تَأْكُلُ...
وَتَنامُ... تَحْتَ سَمائِنا الزَّرْقاءِ نَفْسِها.

الْحيتانُ وَالدَّلافينُ حَيَواناتٌ لَبونَةٌ (مِنَ الثَّدْيِّيّاتِ).

تَرْضَعُ الْحيتانُ وَالدَّلافينُ حَليبَ أُمّاتِها،
كَما يَفْعَلُ الْمَوْلودُ الرَّضيعُ.

هِيَ تَلْهو...
تُغَنّي...
تَغْطِسُ...
وَتَتَنَفَّسُ...
مِثْلَكَ وَمِثْلي تَمامًا.

تَتَقاسَمُ الْحيتانُ وَالدَّلافينُ الْحَياةَ عَلى كَوْكَبِ الأَرْضِ، داخِلَ الْبِحارِ وَالْمُحيطاتِ.

الْحيتانُ وَالدَّلافينُ تُشارِكُنا، نَحْنُ الْبَشَرُ،...

الْحَياةَ عَلى كَوْكَبِ الأَرْضِ.